さっそく読《よ》んでみよう!

顔《かお》がないねずみ男《おとこ》はこのあとどうなる!?

【新装版】水木しげるのおばけ学校⑩
おばけレストラン

# 人《じん》物《ぶつ》

# 登《とう》場《じょう》

腹《はら》をすかしたねずみ男《おとこ》は、山奥《やまおく》に入《はい》って、いも虫《むし》を食《た》べていました。

すると、どこかで、人《ひと》の泣《な》く声《こえ》がします。

「人里《ひとざと》はなれた山《やま》の中《なか》なのに、おかしいなあ。」

と、ふりむくと、なんと、顔《かお》のない子《こ》どもたちが泣《な》いているではありませんか。

「うわーっ、おばけだー！」

ねずみ男《おとこ》は、あわててにげだしました。

しかし、顔《かお》のない子《こ》どもたちは、

「助《たす》けてくださーい！」

と、ねずみ男《おとこ》にへばりついてきました。ねずみ男《おとこ》は、

「助《たす》けてもらうのは、こっちのほうだよ！」

と、子《こ》どもたちをふりきって、にげようとしました。

「まってください。ぼくたちは、おばけじゃ、ありません！」

「では、宇宙人《うちゅうじん》かね！」

「いいえ、人間《にんげん》の子《こ》どもです。」

「そんな、バカな！」

顔《かお》のない子《こ》どもたちは、
なんとか信《しん》じてもらおうと、
ひっしで話《はな》しました。
「山《やま》へ入《はい》って道《みち》にまよい、
どうしようかと思《おも》ったとき、
歌《うた》がきこえてきたのです。」
「歌《うた》？　どんな歌《うた》かね？」
「のっぺら　ぺらぺら　ぺらぺら
どん……と、いう歌《うた》です。」
「ふむ、そいつあ、のっぺら節《ぶし》だ。」
　ねずみ男《おとこ》は、興味《きょうみ》を
いだきはじめました。

「その歌《うた》をきいていると、だんだん、いい気《き》もちになって、気《き》がついたら、おばけレストランというところにいました。そこで、てんぷらをごちそうになったのです……。」
「なに、てんぷらとは、ごうせいだなあ。」
ねずみ男《おとこ》は、うらやましそうに、言《い》いました。

「なるほど、わかった。どうやら、おまえたちの顔《かお》をぬすんだのは、おばけのしわざらしいな。」

ねずみ男《おとこ》は、自分《じぶん》の推理《すいり》のすばらしさに、ひとり感動《かんどう》していました。

「おじさん、すみませんが、ふもとの村《むら》まで、案内《あんない》してほしいのですが。」

「おじさんとは、なんだ。いやしくも、ねずみ男先生《おとこせんせい》だぞ。」

ねずみ男《おとこ》は、ぶつぶつ言《い》いながらも、三人《にん》の子《こ》どもをつれて、村役場《むらやくば》にむかいました。

「なに、顔《かお》をぬすまれたって？」

と、村長《そんちょう》さん。

「そ、そんなバカな！」

駐在所《ちゅうざいしょ》のおまわりさんも、こんな事件《じけん》ははじめてとあって、おどろきます。

しかし、現実《げんじつ》に、子《こ》どもたちの顔《かお》は、からっぽです。

「これは、のっぺらぼうのしわざですよ。」

ねずみ男《おとこ》は、得意《とくい》になって、せつめいしました。

「なるほど、こんなことのできるのは、おばけしかいないだろうね。」

おまわりさんも、うなずきました。

「というと、警察《けいさつ》でも、手《て》が出《で》ないということですか？」

村長《そんちょう》さんは、しんぱいで、たまりません。

「じゃあ、その〝のっぺらぼう〟とやらを、いったい、だれがつかまえるのですか？」

「村長《そんちょう》さん、ここは賞金《しょうきん》百万円《えん》で、鬼太郎《きたろう》さんに、たのむしかありませんよ。」

おまわりさんは、目《め》には目《め》を、おばけにはおばけを、と思《おも》ったようです。

百万円《えん》ときくと、びんぼうなねずみ男《おとこ》の目《め》が、急《きゅう》にかがやきだしました。

「わかりました。村長《そんちょう》さん。ちょうど今《いま》、鬼太郎《きたろう》は旅行中《りょこうちゅう》でございまして、このわたくしに、その犯人《はんにん》をつかまえさせていただけませんか。」

「いったい、あなたは、どなたさまで？」

村長《そんちょう》さんは、いぶかしげにききました。

「鬼太郎《きたろう》の助手《じょしゅ》をしとります、ねずみ男《おとこ》でございます。実力《じつりょく》は鬼太郎《きたろう》以上《いじょう》という人《ひと》もいます。」

「それは、願《ねが》ってもないこと。さっそくお願《ねが》いいたしましょう。」

村長《そんちょう》さんは、ねずみ男《おとこ》の話《はなし》を、まにうけて、たのみました。

「では、さっそく、百万円《えん》。」

ねずみ男《おとこ》は、もみ手《て》をしながら、百万円《えん》をさいそくしました。

「おっと。お金《かね》は、すぐにというわけにはゆきません。

村会《そんかい》に、はかってからですので、一か月後《げつご》になるかと思《おも》います。」

「いいでしょう。ちょうどそのころは、事件《じけん》も解決《かいけつ》していることでしょう。

はははは……。」

さっそく、ねずみ男《おとこ》は、顔《かお》をぬすんだ犯人《はんにん》のたんさくに出《で》かけました。
さっきの山奥《やまおく》まできたところ、おりからの風《かぜ》にのって、
奇妙《きみょう》なリズムがながれてきました。

おばけレストラン

のっぺら　ぺらぺら
ぺらぺら　どん……。
ねずみ男《おとこ》は、うかれまいと、腹《はら》に力《ちから》を入《い》れましたが、
手足《てあし》がひとりでにうごいてしまい、
のっぺら節《ぶし》を口《くち》ずさみ、ゆめごこちになってゆくのを、
どうすることもできません。
のっぺら節《ぶし》は、魔《ま》のリズムです。
いつしか、ねずみ男《おとこ》は、おばけレストランの
ドアをひらいて、中《なか》に入《はい》ってゆきました。

おばけレストランの広間《ひろま》では、のっぺらぼうと、三人《にん》の子《こ》どもたちが、輪《わ》になって、のっぺら節《ぶし》をおどっていました。

ねずみ男《おとこ》も、ひきこまれるように、その輪《わ》の中《なか》に入《はい》ってゆきました。

のっぺら　ぺらぺら
ぺらぺら　どん……。

やがて、のっぺら節《ぶし》がやみました。

「あの、失礼《しつれい》いたしました。
ひとさまの家《いえ》に、勝手《かって》に
あがっておどったりして……。」
ねずみ男《おとこ》は、そう言《い》って、
うまくにげだそうとしました。
「いやあ、ちょうど、コックの
見習《みなら》いがほしかったものですから
おまねきしたのです。」
のっぺらぼうが、言《い》いました。
「おまねき？」
ねずみ男《おとこ》が、うろたえると、
のっぺらぼうは、
「おいやですか？」

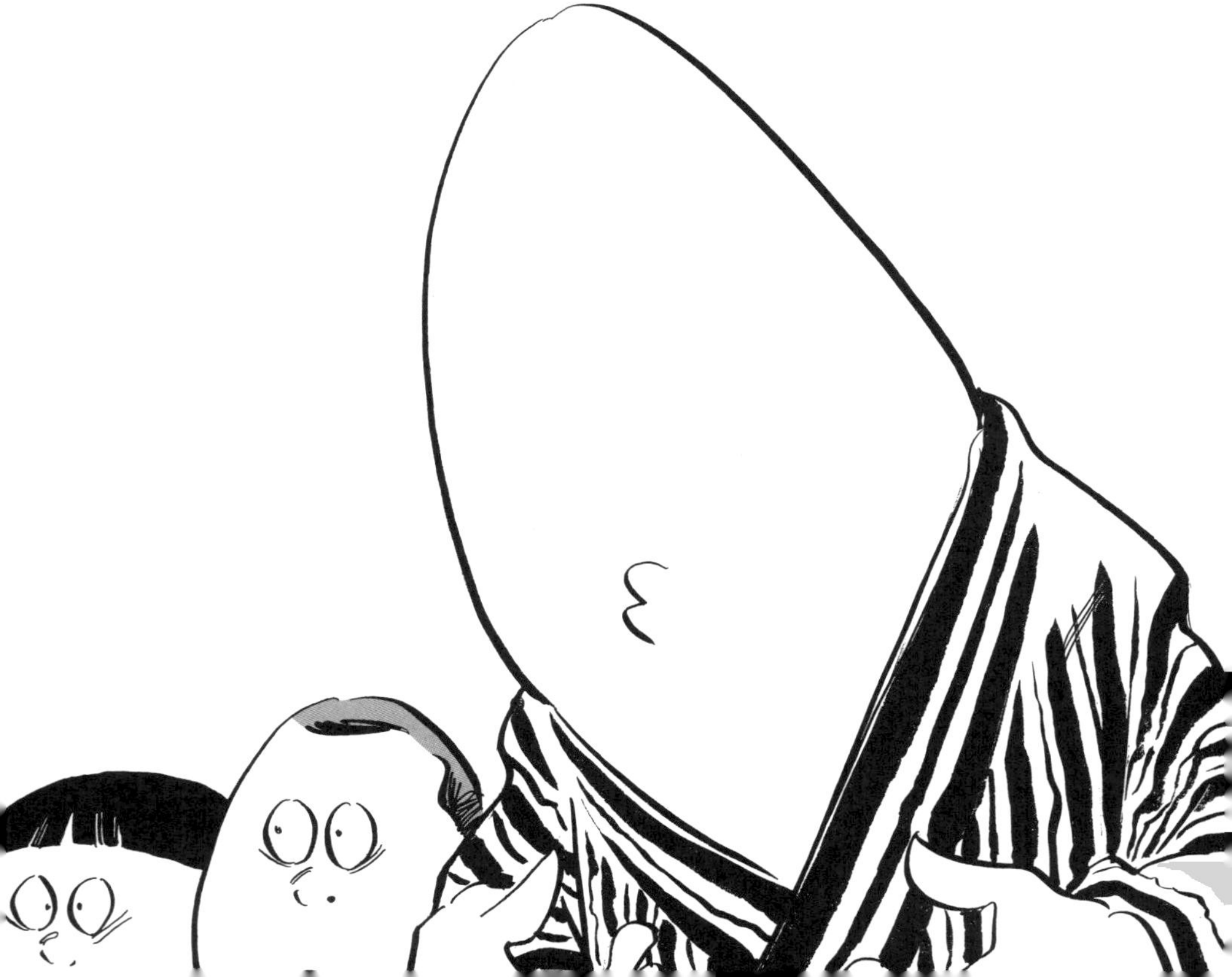

と、せまってきます。

「いえ、そんな……。ちょうど失職中《しっしょくちゅう》でしたものですから、願《ねが》ってもないことです。」

「それは、よかったですねえ、ねずみ男《おとこ》さん。では、子《こ》どもたちのへやで、ゆっくり休《やす》んでください。」

「店長《てんちょう》さん、ありがとうございます。」

「店長《てんちょう》さんはやめてください。親方《おやかた》とよんでください。」

「はい、親方《おやかた》さま。」

ねずみ男《おとこ》は、子《こ》どもたちのいるへやで、一緒《いっしょ》に、ねることになりました。

「おかしいなあ。こいつら、のっぺらぼうの子《こ》どものくせに、顔《かお》がついている。」

と、ねずみ男《おとこ》が、ひとりごとを言《い》うと、

「おじさん、ほんとうの顔《かお》、見《み》せてやろうか。」

と、言《い》うなり、ぼうしをとるように、ペロリと顔《かお》をとってみせました。

「うわーっ。のっぺらぼうだ！」

「これは、えらいことになった。のっぺらぼうをつかまえにきたのに、反対《はんたい》に、つかまって、こいつらに、かいかんしされているようなものだ。」

ねずみ男《おとこ》は、急《きゅう》におそろしくなって、ねむるどころでは、ありません。

「子《こ》どもたちが、ねているあいだに、にげださないと、あぶないようだ。どうやらこの事件《じけん》は、おれには荷《に》がおもいようだ。鬼太郎《きたろう》にまかせよう。」

ねずみ男《おとこ》が、へやを出《で》ると、のっぺらぼうの親方《おやかた》が、捕虫《ほちゅう》あみと、さかなとりのびくをもって、立《た》っていました。

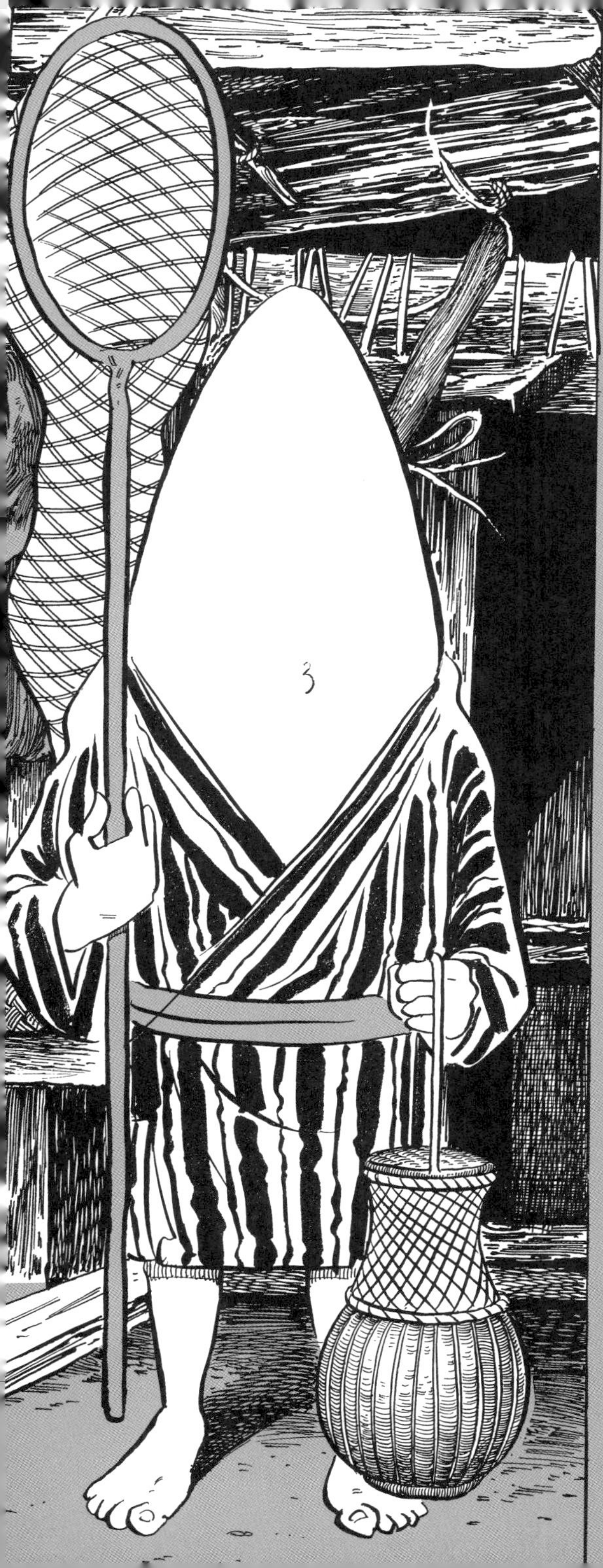

「あっ。親方《おやかた》！　ぼく、トイレです。」
「そう。ちょうど、よかった。いま、きみをおこしにゆこうと思《おも》っていたところだ。トイレなら、外《そと》だよ。」
と、言《い》って、親方《おやかた》は、外《そと》へ出《で》てゆきます。

「これ、もってくれたまえ。」

のっぺらぼうは、びくを、ねずみ男《おとこ》にわたしました。

「あ、どこへ、ゆかれるんですか？」

「あすの料理《りょうり》のための、仕入《しい》れです。」

「夜中《よなか》に、で、ございますか？」

「そう、夜中《よなか》でないと、とれませんからね。」

「夜中《よなか》でないと、とれない？」

「しーっ、だまって。」

親方《おやかた》に注意《ちゅうい》されて、
森《もり》のこずえのあたりを見《み》やると、
ぼんやり、ひとだまが見《み》えます。
親方《おやかた》は、はしりだしたかと思《おも》うと、
捕虫《ほちゅう》あみで、スポッと、
ひとだまを上手《じょうず》にとらえます。

ひとだまは、まるで、生《い》きもののように、あみの中《なか》で、ピクピクと、うごいています。

ねずみ男《おとこ》は、おどろいて、ポカンとしていると、親方《おやかた》にペチンと頭《あたま》をたたかれました。

「はやく、ひとだまを、びくの中《なか》へ……。」

ねずみ男《おとこ》が、ガタガタとふるえながら、びくをひらくと、親方《おやかた》は上手《じょうず》に、びくの中《なか》に、ひとだまを入《い》れます。

「親方《おやかた》、ずいぶん、
手《て》なれたものですねえ。」
「だまって、びくをもってきなさい。」
「あっ、かえるんですか。」
「いちいち、あんたは口数《くちかず》が
多《おお》すぎますね。ひとだまが、
みんなにげてしまったじゃないの。」
親方《おやかた》は、ねずみ男《おとこ》の頭《あたま》をペチンと
たたきました。

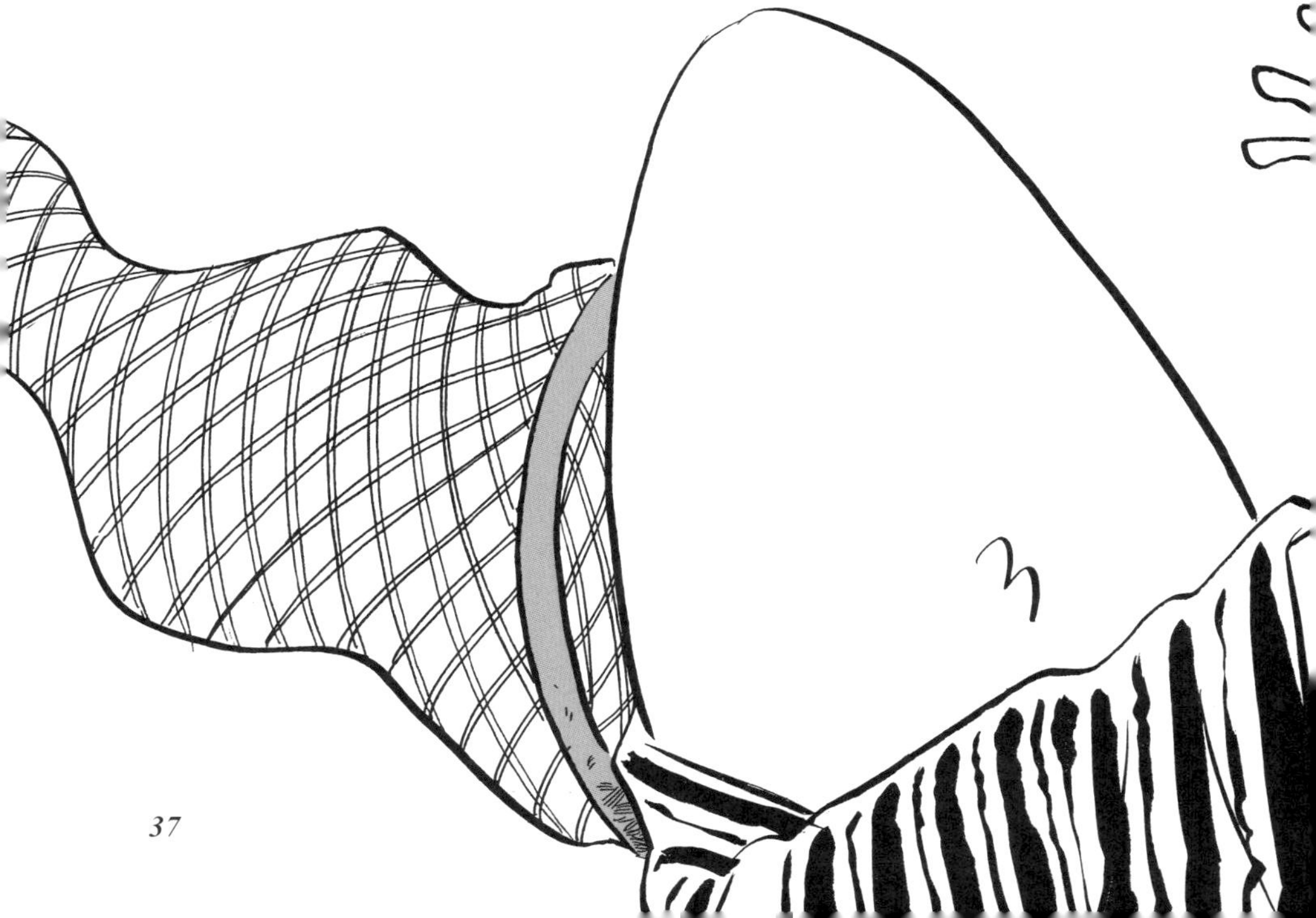

家《いえ》にかえると、親方《おやかた》は、
たらいに水《みず》をはって、
ひとだまを入《い》れました。
「親方《おやかた》、ひとだまは、
にげないのですか？」
「ひとだまは、水《みず》の中《なか》で
飼《か》うと、にげません。
ほれ、ここにもいるでしょ。」
と、たくさんのたらいの
中《なか》に入《はい》っているひとだまを、
ゆびさしました。

「なるほど。水《みず》の中《なか》を、およいでいるところを見《み》ますと、生《い》きてますね。」

「そう。生《い》きてなきゃあ、おいしくないからね。」

「おいしくない？　すると、まさか……。」

ねずみ男《おとこ》が、大《おお》きな声《こえ》を出《だ》しかけたので、
また、親方《おやかた》に頭《あたま》をたたかれました。

「あんた、見習《みなら》いのくせに、口数《くちかず》が多《おお》すぎますよ。」

それでも、ねずみ男《おとこ》は、まだ、おどろきがとまりません。

「ほんと、たまげたなあ。」

と言《い》って、また、親方《おやかた》に、頭《あたま》をペチンとたたかれました。

どうやら、親方《おやかた》は、しずかな世界《せかい》がすきなようです。

さて、あくる朝《あさ》。ねずみ男《おとこ》が昨夜《さくや》のつかれで、わたのようになってねていると、子《こ》どもたちが、ペチンペチンと、ねずみ男《おとこ》をたたきます。

「きみたち、朝《あさ》っぱらから、失礼《しつれい》じゃないか。」

「だって、おとうさんが、料理《りょうり》をおしえるから、おこしてこいって、言《い》ったんだもの。」

「なに、料理《りょうり》をおしえる?」

「おとうさん、フライパンもって、まってるよ。」

ねずみ男《おとこ》が、台所《だいどころ》に
いってみると、すでに
料理《りょうり》が作《つく》られ、つくえの
上《うえ》におかれています。
「親方《おやかた》、さっそく
勉強《べんきょう》させてもらいます。」
ねずみ男《おとこ》が、あいさつ
すると、親方《おやかた》が料理《りょうり》の
コツをおしえてくれます。
「すばやくメリケン粉《こ》を
つけて、サッとあげるのが、
ひとだま料理《りょうり》のコツで
して……。」

「すると、親方《おやかた》、これ、ひとだま料理《りょうり》ですか……？」

「だって、ここは、おばけレストランでしょう。」

「……。」

「これが、ひとだまフライ。こちらがさしみです。」

「さしみ!!」

「さ、めしあがってください。」

「た、食《た》べるのですか!?」

「まず、見習《みなら》いは、食《た》べることからはじめるのが、おばけレストランのやりかたでして……。」

「やりかた!!」

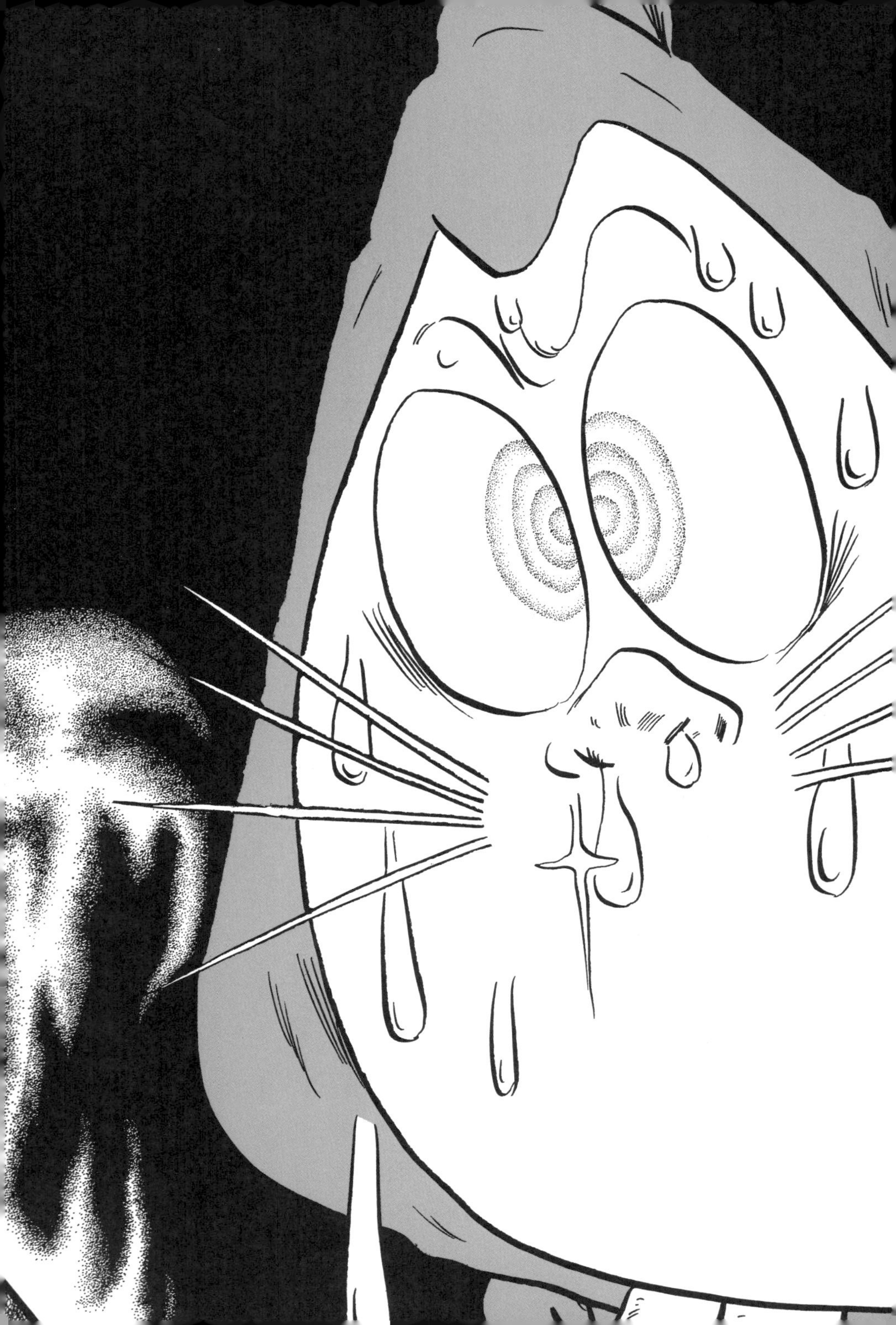

「あんたは、どうも口数《くちかず》が
多《おお》すぎますね。
だまって食《た》べるのです。」
「食《た》べる!!」
「大《おお》きな声《こえ》を出《だ》さないで、
しずかに食《た》べるのです。」
と、また、ペチンと
たたかれます。
ねずみ男《おとこ》は、ひとだまを
食《た》べた場合《ばあい》、
どうなるのか、
しんぱいで手《て》が出《で》ません。

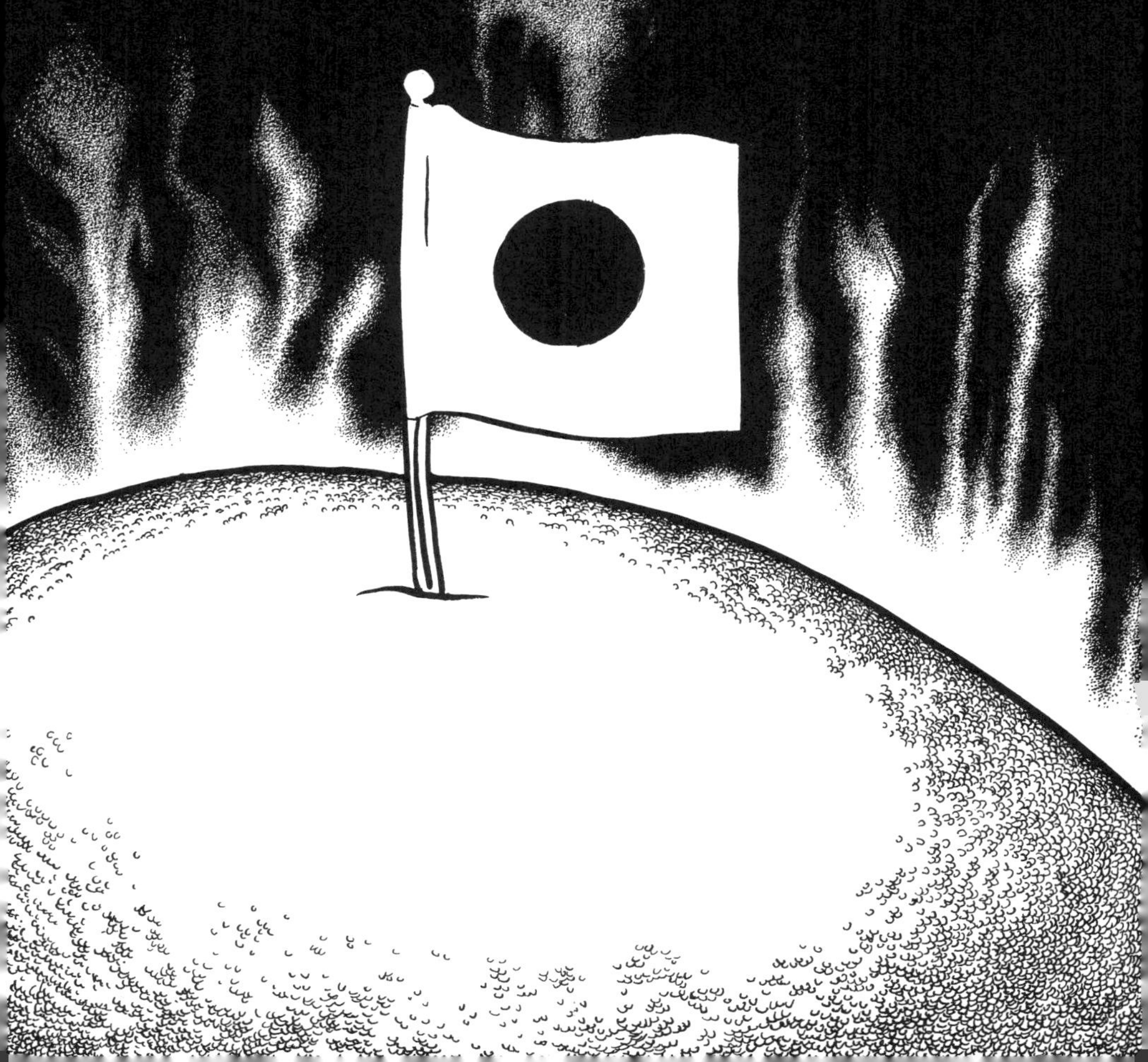

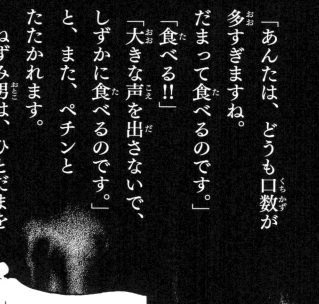

すると、子《こ》どもたちは、
「おとうさん、この人《ひと》、
まじめにコック修業《しゅぎょう》する気《き》は
ないみたいですよ。」
と、言《い》います。
「そんな失礼《しつれい》なことを
言《い》ってはだめです。
この人《ひと》はかしこいから、
万一《まんいち》、ひとだまフライを
食《た》べなかったら、自分《じぶん》が
フライになって、
食《た》べられてしまうことくらい、
わかっているおかたですよ。」

ソース

ねずみ男《おとこ》は、びっくりしましたが、びっくりしては、逆《ぎゃく》に危険《きけん》になると思《おも》い、わざとしずかに、

「そう、ひとだまも、あめだまも、同《おな》じことです。」

と、フォークとナイフをにぎりました。が、手《て》がブルブルふるえて、なかなか切《き》れません。

「こんなおいしいものが、食《た》べにくいようでしたら、こちらで半分《はんぶん》いただきましょうか。」

親方《おやかた》が、横《よこ》あいから、口《くち》をはさみます。

ねずみ男《おとこ》は、全部《ぜんぶ》食《た》べないと、自分《じぶん》が食《た》べられると思《おも》い、

「親方《おやかた》、じょうだんはよしてください。

わたしは、これを全部《ぜんぶ》ひとりで食《た》べようと思《おも》っているのです。」

「全部《ぜんぶ》ですか？」

「そうです。皿《さら》まで……。」

「その熱意《ねつい》、気《き》に入《い》りました。

おばけレストランは、これからあなたにまかせましょう。」

と、頭《あたま》をたたかれます。

とにかく、ねずみ男《おとこ》は、食《た》べないと、おそろしいことになると思《おも》って、フライにいどみ、さしみにいどみますが、なにしろ今《いま》まで食《た》べたこともないしろものですから、からだ中《じゅう》、あぶらあせです。

やっと、食《た》べおえたときは、
夜中《よなか》でした。
ねずみ男《おとこ》は、
食《た》べおわると同時《どうじ》に
「ゲープ！」
と、一声《こえ》あげると、
意識《いしき》をうしないました。

朝《あさ》おきてみると、
ベッドにねかされています。
ねずみ男《おとこ》は、体内《たいない》に
ひとだまが入《はい》っていると思《おも》うと、
しんぱいでなりません。
なにしろ、ひとだまを
食《た》べたという話《はなし》は、
きいたことがありません。
ひとだまが、体内《たいない》で爆発《ばくはつ》する
かもわかりませんし、
なにか、ほかの生《い》き物《もの》に
変化《へんか》するかもしれません。

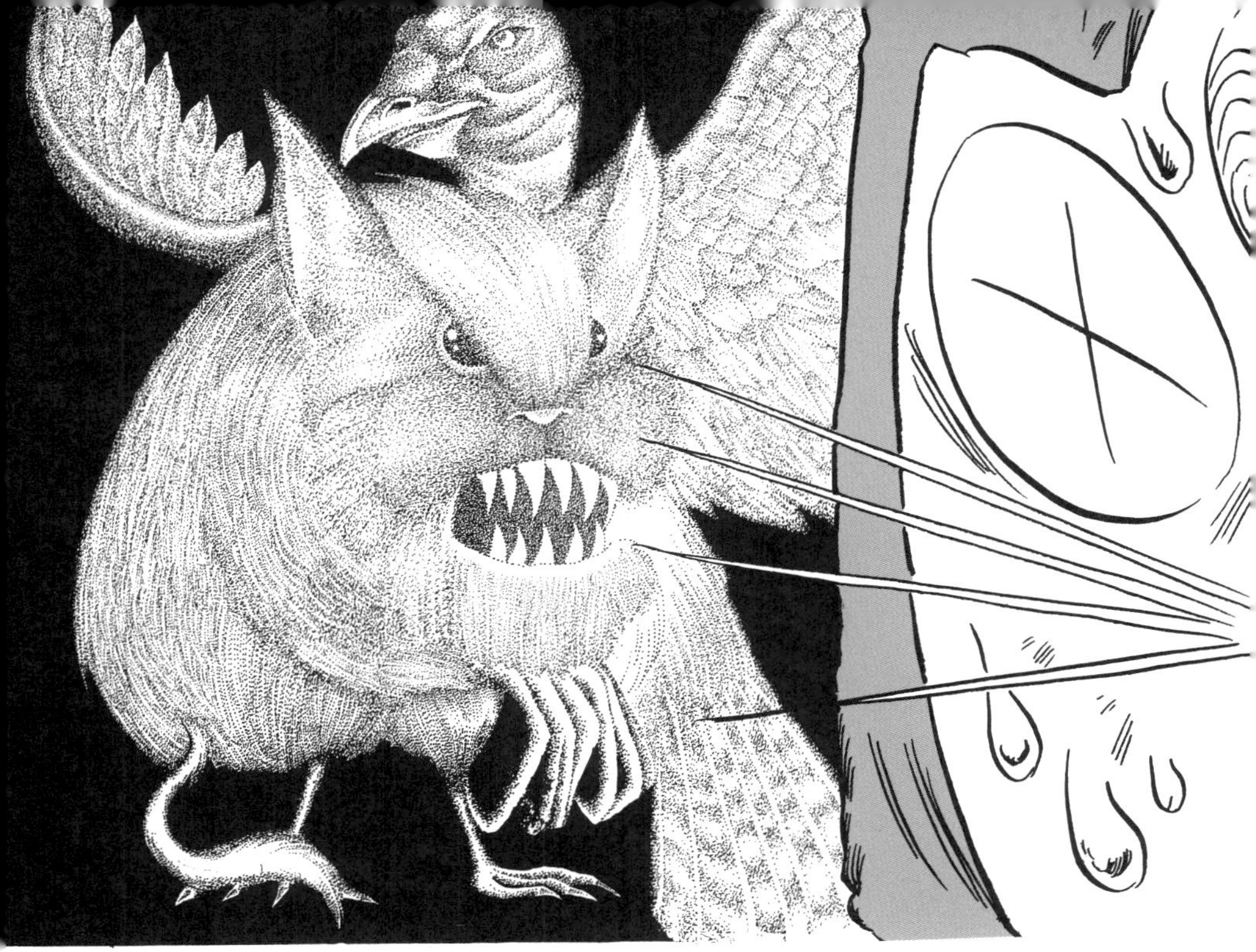

「おれ、まさか、ねずみになるんじゃあないだろうなあ……。ねずみになれば、毎日《まいにち》えさをとるのがたいへんだ。今《いま》みたいに、ラクしてくらせなくなる。おれは、それがしんぱいだ。」

ねずみ男《おとこ》は胸《むな》ぐるしくなると、口《くち》からなにか出《で》てくるような気《き》がしました。

「おじさん、どうしたの？」
子《こ》どもたちが、声《こえ》をかけてきました。
「いや、なに。あんまり、おいしいごちそうを食《た》べたので、よろこびにふるえているんだよ。」
とは言《い》うものの、ねずみ男《おとこ》の体内《たいない》では、なにかが、うごめいているようです。

「おじさん、ひとだまがそんなにおいしかったのなら、あしたは、ひとだまカレーを作《つく》ってくれるように、おとうさんにたのんであげるよ。」
それをきくと、ねずみ男《おとこ》は、いてもたってもいられなくなりました。

「どうもへんだ。ちょっと、さんぽしてこよう。」

ねずみ男《おとこ》は、外《そと》へとびだしました。

「おじさん、どこへゆくの。」

と、子《こ》どもたちがついてきます。

ゲボッとなにか、おなかから、こみあげてきました。

「うぐーっ。」

口《くち》から出《だ》してみると、おどろいたことに、大《おお》きなふうせんです。

いや、ふうせんのような、ひとだまです。

ぽあ

しかも、おどろいたことに、ひとだまに、ねずみ男《おとこ》の目《め》鼻《はな》がつき、ねずみ男《おとこ》は、のっぺらぼうになっているのです。

「まるで魔法《まほう》だ！」

ねずみ男《おとこ》がおどろきの声《こえ》をあげようとすると、木《き》の上《うえ》のほうで、

「あんがとよ。」

と、さけぶものがいます。

親方《おやかた》の声《こえ》です。

みると、親方《おやかた》は、ねずみ男《おとこ》の顔《かお》のついたひとだまを、つかんでいます。

「ああ、おれは顔《かお》をとられてしまった！」
と、ねずみ男《おとこ》は、泣《な》きわめきますが、
どうすることもできません。
子《こ》どもたちの、
「うわーっ、また顔《かお》がとれたー！」
という、よろこびの声《こえ》のあとに、ねずみ男《おとこ》は、
つえをつきながら、山《やま》をおりてゆきました。

「おとうさん、よかったね。
顔《かお》ができて。」
「そうだとも。
とても便利《べんり》だよ。」
「おとうさん、もう、
おばけレストラン、やめちゃおうよ。」
「バカなこと、言《い》っちゃあ、いかん。
もうひとつ、病気《びょうき》のおかあさんの
顔《かお》もほしいよ。」
「あっ、そうだね。」
「もうひとり、お客《きゃく》さんが
くるまで、開店《かいてん》しておこうね。」

それから、二、三か月《げつ》して……。
ピイイイー――。
と、ひとりのあんまさんの、かなしげな
ふえのねが、町《まち》になりひびきました。

ピーッ

ちょうど、屋台《やたい》のラーメン屋《や》で、ラーメンを
食《た》べていた鬼太郎《きたろう》は、なんとなく風《かぜ》にのってくる
ふけつなにおいと、音楽的《おんがくてき》なセンスのない
ふえのねをきくと、そくざに、
「ねずみ男《おとこ》だ。」
と、さけびました。
そして、ねずみ男《おとこ》のそばによって、
あっとおどろきました。

ラーメン

うりのような顔《かお》をしたねずみ男《おとこ》が、ふえをふいていたからです。

「ねずみ男《おとこ》、おまえ、どうしたんだ？」

「あ、鬼太郎《きたろう》。じつは、これこれしかじかで、こんなふうになってしまったんだ。しくしく。」

「それにしても、バカに気《き》がよわくなったもんだなあ。」

「鬼太郎《きたろう》。おめえ、あわれなおれを、からかうのか。」

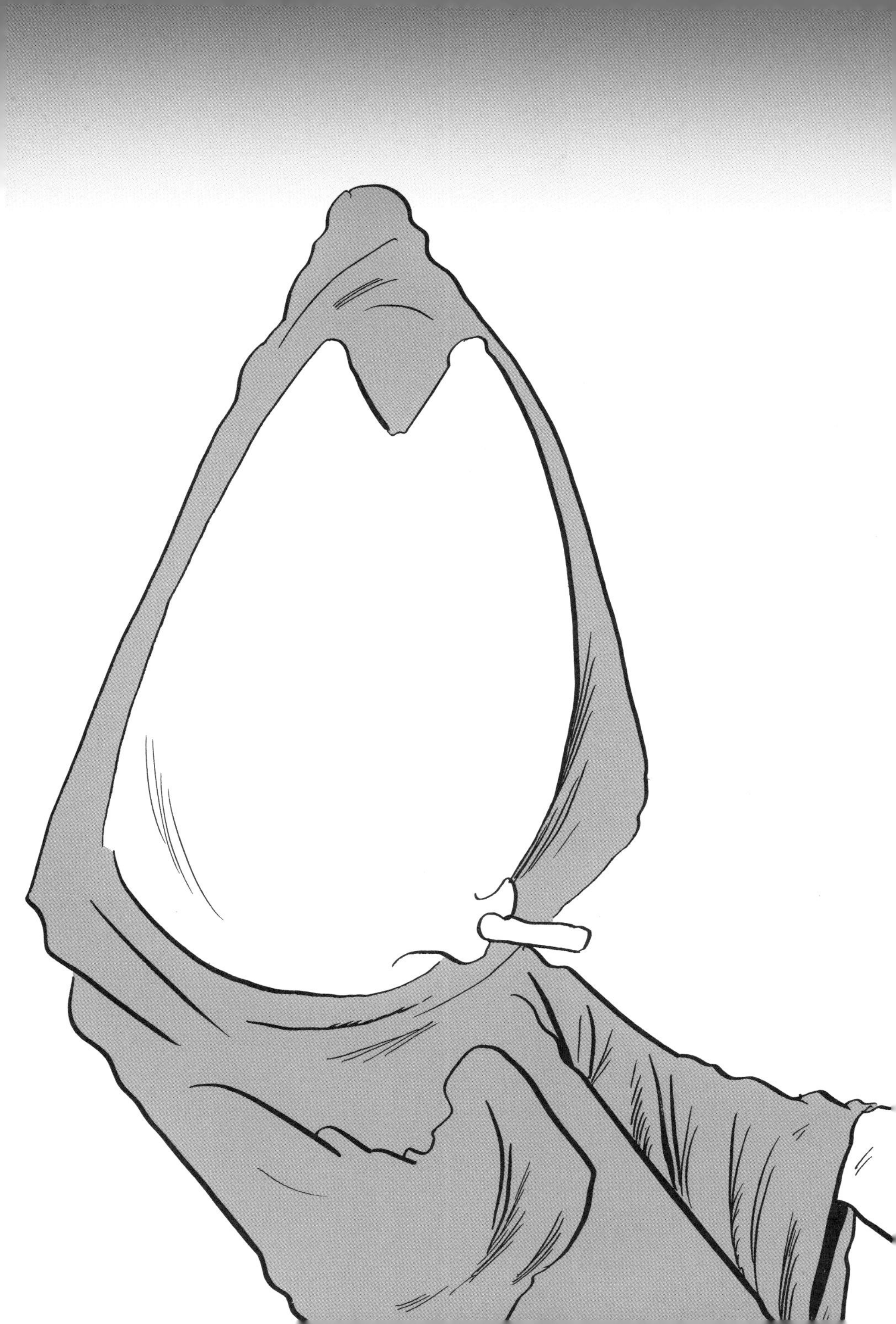

「がめついねずみ男《おとこ》が、のっぺらぼうに、自分《じぶん》の顔《かお》をぬすまれようとは、思《おも》わなかったね。それにしても、のっぺらぼうも、よりによって、いい顔《かお》をぬすんだもんだなあ。」

「鬼太郎《きたろう》、じょうだん言《い》ってる場合《ばあい》ではない。すぐさま、顔《かお》をとりかえすのだ!!」

「なんだ、よわいくせに。おれにあうと、急《きゅう》に強《つよ》くなりやがって……。」

「いや、とにかく、不便《ふべん》でしょうがねえんだよ。なんとか、とりかえしてくれないか。」

「いまさら、とりかえさなくても、あんまさんしていたほうが、世《よ》の中《なか》のために、なるんじゃないかな。」

「バカ、おれだけじゃあ、ねえんだ。子《こ》どもが三人《にん》も顔《かお》をぬすまれて困《こま》ってんだ。」

「なに、三人《にん》も……！」

「そうだよ。おれが、案内《あんない》するよ。」

それから、二、三日《にち》して
「おとうさん、この前《まえ》の
コック見習《みなら》いが、
お客《きゃく》さんらしいものを、
つれてきたよ。」
「うむ、おかあさんの顔《かお》に
あうお客《きゃく》さんだと
いいけどね、イヒヒヒ。」
こんどは、もうひとりの
子《こ》が入《はい》ってきて、
「おとうさん、鬼太郎《きたろう》とか
いう強《つよ》いやつを
つれてきたようだよ。

はやくにげないと！」

と、言《い》いました。

「バカなこと、
言《い》うんじゃないよ。」

「どうして？」

「だって、おとうさん、
強《つよ》いもの。」

「あ、そうか。」

トトトン。

ドアをノックする音《おと》がしました。

「ごめんください。」

「おとうさん、きたよ。」

「では、応接間《おうせつま》に、お通《とお》ししなさい。」

鬼太郎《きたろう》は、しかけのしてある応接間《おうせつま》に通《とお》されました。

「ごめん。あなたが、のっぺらぼうさんですね。」

「そうですよ。」

と、言《い》うと同時《どうじ》に、のっぺらぼうは、なわを、ぐいっと、ひっぱりました。

ドカッ！
ミギュッ

すると、天井《てんじょう》から、大石《おおいし》が
おちてきて、鬼太郎《きたろう》はペタンと、
おしつぶされてしまいました。
「ははは。あんがい、簡単《かんたん》に
かたづいたね。」
と、言《い》いながら、
のっぺらぼうは、
大《おお》よろこびです。

「さて、キタロウもちでも、作《つく》ろうかな。」

と言《い》って、うすに入《い》れて、ペッタンコ、ペッタンコと、
鬼太郎《きたろう》をつきます。

「おとうさん、人間《にんげん》もちなんて、ひさしぶりだね。」

と、子《こ》どもたちが、よろこぶと、

「バカ。これは、ゲゲゲのキタロウもちだよ。ハハハハ………。」

と、おとうさんも、たのしそうです。

ペッタンコ、ペッタンコ。

「さあ、できた。まるめよう。」

すると、スーッと、もちが手《て》のかたちにのびて……。

ビ

のっぺらぼうは、いきなり、
足《あし》でけとばされました。
なにがなんだか、わかりません。
のっぺらぼうは、コロコロと
ころがされて、ドタッと、はしらに
頭《あたま》をぶつけました。
「うーっ、いてててて。」

のっぺらぼうが、おきあがろうとすると、
同時《どうじ》に、もちになっていた鬼太郎《きたろう》が、
ふわふわふわーっと、のっぺらぼうに
おそいかかります。
「きさま、むささびのばけものかー!」

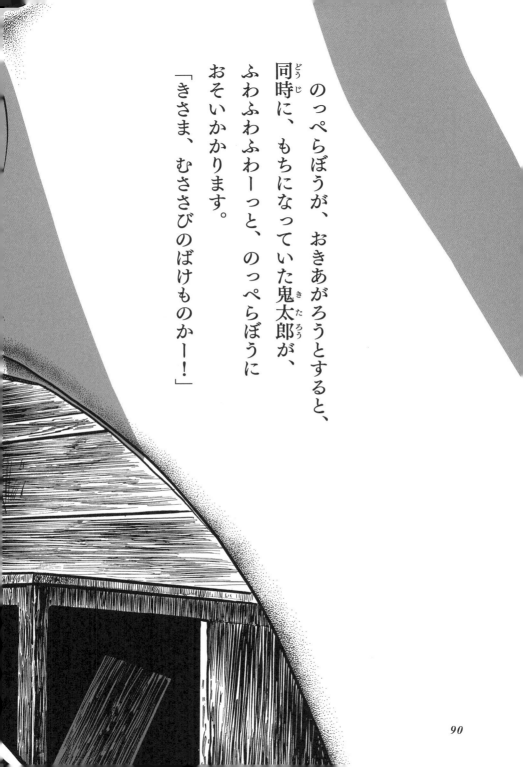

すると、こんどは、ぎょうざの
皮《かわ》のようになった鬼太郎《きたろう》が、
のっぺらぼうを、ぎょうざのように、
つつんでしまいました。

「ううーっ、うわーっ！」

奇妙《きみょう》な乱闘《らんとう》の声《こえ》がきこえたかと思《おも》うと、しずかになります。

完全《かんぜん》に、のっぺらぼうをつつんだ鬼太郎《きたろう》は、だんだんと、すがたをあらわしました。

「どうだ。ねずみ男《おとこ》の顔《かお》をかえすなら、出《だ》してやってもいいぜ。」

「うーっ、くるしい。おれは、いつのまに、おまえの中《なか》に入《はい》ってしまったんだろう。おまえ、ぎょうざ作《づく》りの名人《めいじん》だな！どうだ、わがレストランのコックにならないか！」

「そんな、あほなこと言《い》うな。つべこべいうと、
ぎょうざにして、食《た》べてしまうぞ。
顔《かお》をかえすか、かえさないか、きいているんだよ。」
「か、かえすよ。出《だ》してくれ、くるしい！」
鬼太郎《きたろう》は、口《くち》から、もとどおり、
顔《かお》のないのっぺらぼうを出《だ》します。
そして、鬼太郎《きたろう》の胃《い》の中《なか》にのこった
ねずみ男《おとこ》の顔《かお》をとって、
ねずみ男《おとこ》にくっつけてやります。
「うわーっ、やっと、もとどおりになれるぞ！」
ねずみ男《おとこ》は、大《おお》よろこびです。

「やい、のっぺらぼう。このまえは、
いろいろ、ごちそうになったねえ。
みろ、天下《てんか》の鬼太郎《きたろう》さまが、
おいでなすったんだ。
おまえたちの子《こ》どもの顔《かお》も、
このさい、かえしてしまえ。
そうすれば、命《いのち》だけは
助《たす》けていただいてやる。どうだ！」
目鼻《めはな》がもどったねずみ男《おとこ》は、
とたんに元気《げんき》になりました。

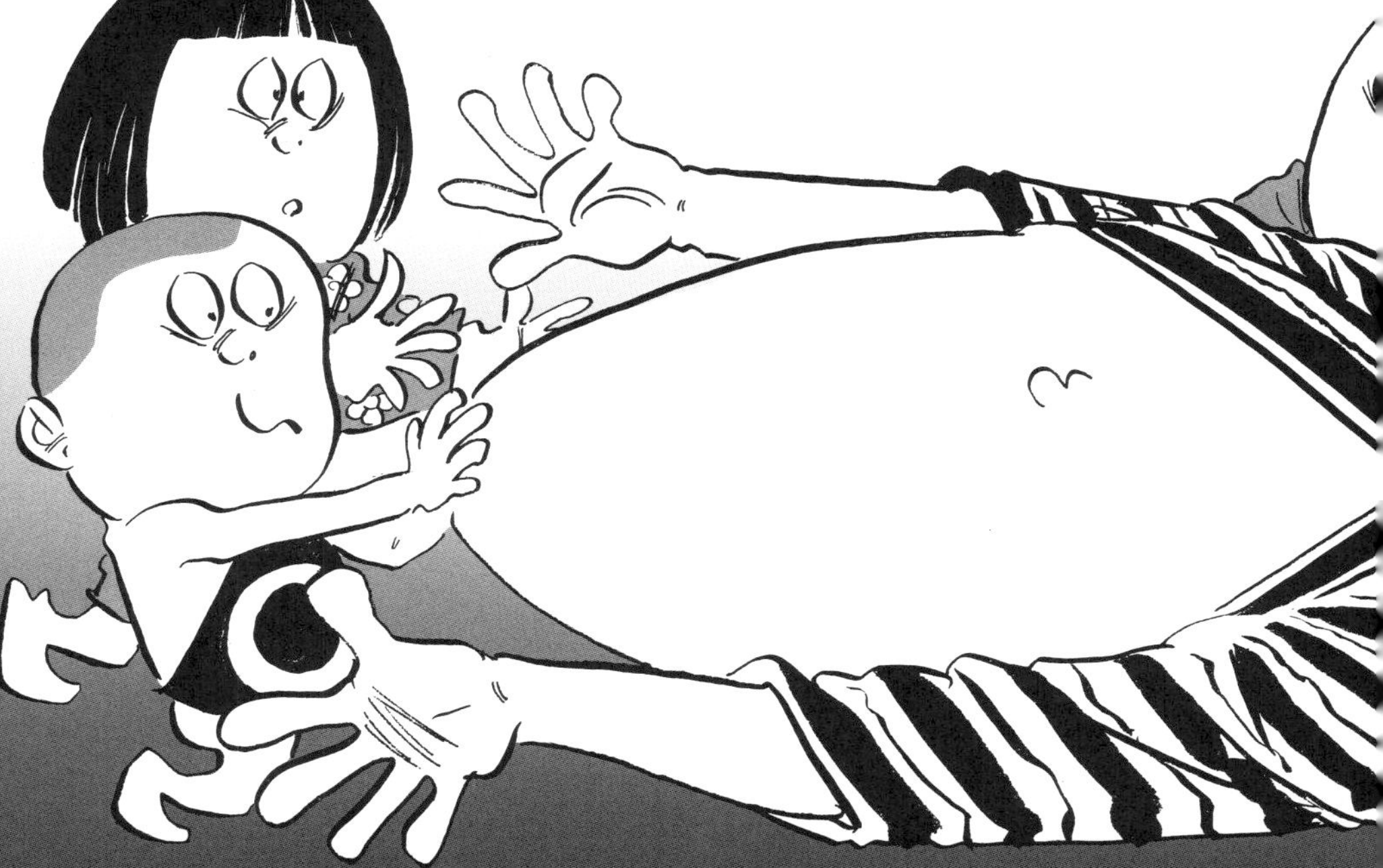

「はい、わかりました。おかえしします。

しかし……。」

「なんだ、しかしって……。

文句《もんく》あんのか!」

「いや、どうも、ふしぎなのです。」

「なにが、ふしぎなんだ?」

ペチン、とねずみ男《おとこ》は、やたら、
のっぺらぼうの頭《あたま》をたたきます。

「はやく、しゃべれよ、のっぺらぼう。」

子《こ》どもたちは、

「なぜ、おとうさんをぶつの!」

と、ねずみ男《おとこ》をしかります。

ペタッ

「こんな大《おお》きなぼくが、どうして、鬼太郎先生《きたろうせんせい》の中《なか》に、入《はい》ってしまったのでしょう。」

「それは、ぼくの幻術《げんじゅつ》だよ。」

「幻術《げんじゅつ》？　まぼろしの術《じゅつ》？」

「そうだ。ぼくは、からだを自由《じゆう》に、ビニールのように、のばしたりちぢめたりできるので、簡単《かんたん》に、きみをつつめるんだよ。」

「へーえ。そうだったのですか。」

のっぺらぼうは、感心《かんしん》しています。

「とにかく、人間《にんげん》の顔《かお》なんてつまらぬものをほしがらずに、山奥《やまおく》でしずかにくらしていたほうが、おまえさんたちは幸福《こうふく》だよ。」

と、鬼太郎《きたろう》に、さとされました。

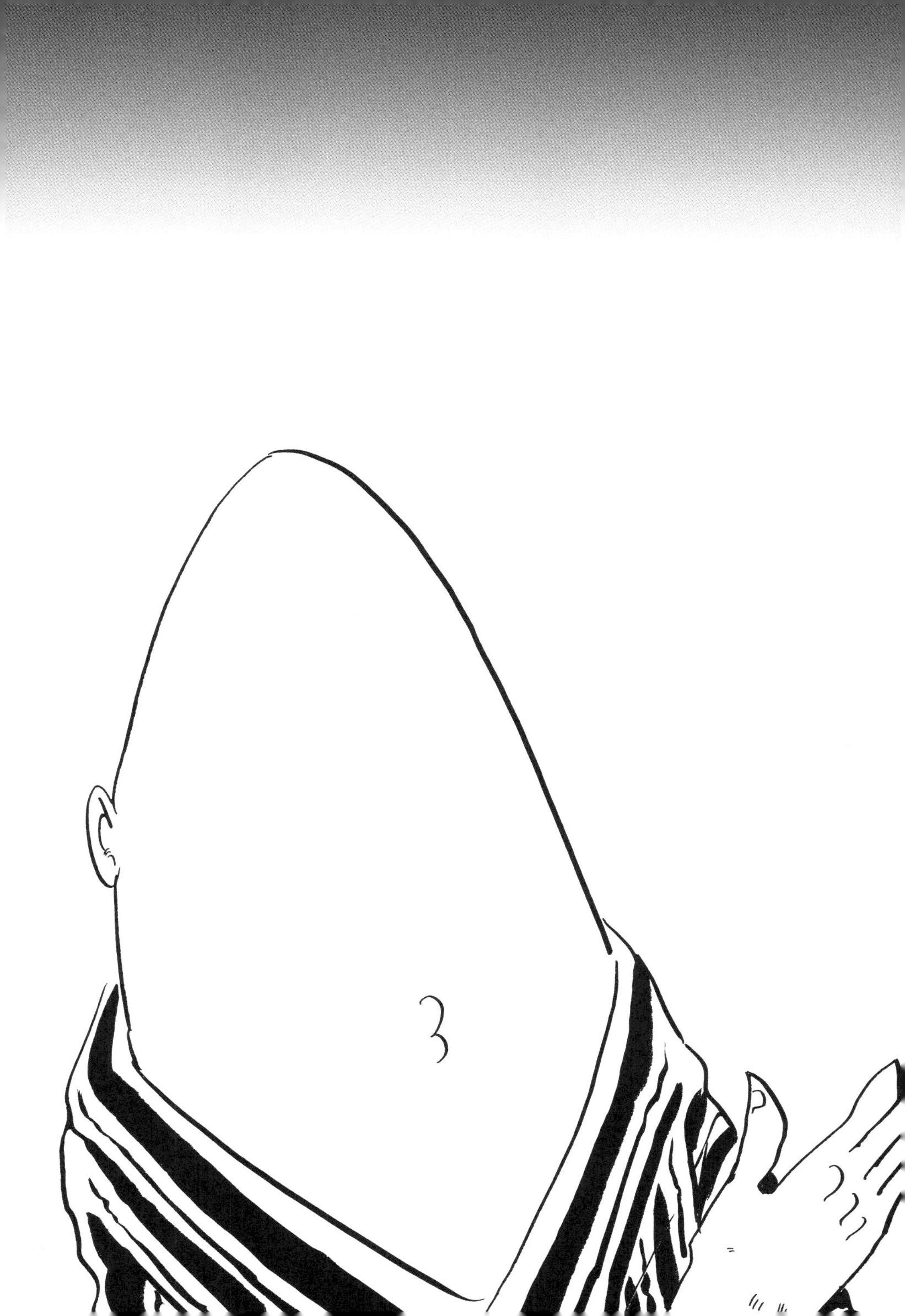

「どうです、鬼太郎先生《きたろうせんせい》。さいごに一曲《きょく》、のっぺら節《ぶし》をうたっておどろうではありませんか。」

「じょ、じょうだんじゃない。もう、のっぺら節《ぶし》はたくさんだよ。」

と、ねずみ男《おとこ》は、こわがります。

鬼太郎《きたろう》たちは、三人《にん》の子《こ》どもの顔《かお》をかえしてもらうと、のっぺらぼう一家《いっか》にわかれをつげて、山《やま》をおります。

のっぺらぼう一家《いっか》は、さらに深《ふか》い山奥《やまおく》へと、ひっこしてゆきました。

鬼太郎《きたろう》とねずみ男《おとこ》は、三人《にん》の子《こ》どもの顔《かお》を
山里《やまざと》の村長《そんちょう》さんのところへ、もってゆきます。
「いやあ、とんでもない事件《じけん》で、
一時《いちじ》はどうなることかと思《おも》っていましたが、
おかげで、めでたく解決《かいけつ》しました。
ありがとうございました。」
「ほんとうに、よかった。」
おまわりさんも、よろこびます。

「これは、約束《やくそく》の
お金《かね》です。」
と、村長《そんちょう》さんが
百万円《えん》をさしだしました。
「これは、どうも。」
と、うけとるねずみ男《おとこ》。
「あっ、おまえ。
またなにか、
たくらんでたんだな！」
と、鬼太郎《きたろう》に
もぎとられます。

「ドロボウッ！」
「ドロボウは、おまえだ。
村長《そんちょう》さん、これは、
三人《にん》の子《こ》の顔《かお》はり手術《しゅじゅつ》の
費用《ひよう》にしてください。」
鬼太郎《きたろう》は、村長《そんちょう》さんに
百万円《えん》をかえして、
村《むら》を去《さ》ります。

この事件《じけん》は、
のっぺらぼう一家《いっか》が、
人間《にんげん》の顔《かお》をもったら、
どんなにおもしろいだろう
と思《おも》っておきた事件《じけん》でした。
思《おも》ったよりも、やさしい
おばけだったようですが、
自分《じぶん》の術《じゅつ》でぬすめるからといって、
やたらに顔《かお》をぬすまれては、
たまりませんね。

## 水木しげる

1922年、鳥取県境港市出身。同市の高等小学校を出て大阪にゆき、いろいろな職業につきながら、いろいろな学校を出たり入ったりする。戦争で左腕を失う。著書には『ゲゲゲの鬼太郎』『悪魔くん』『河童の三平』『日本妖怪大全』などがある。

※本書は、1983年にポプラ社より刊行された『水木しげるのおばけ学校⑩　おばけレストラン』を再編集したものです。再編集にあたって、一部、現代の社会通念や人権意識からは不適切と思われる表現を修正しております。

## おばけレストラン

新装版　水木しげるのおばけ学校⑩

2024年9月　第1刷

著　者　　水木しげる
発行者　　加藤裕樹
発行所　　株式会社 ポプラ社
〒141-8210 東京都品川区西五反田3-5-8
JR目黒MARCビル12階
ホームページ　www.poplar.co.jp
印刷・製本　中央精版印刷株式会社
デザイン　野条友史（buku）
ロゴデザイン協力　BALCOLONY.

落丁・乱丁本はお取り替えいたします。ホームページ（www.poplar.co.jp）のお問い合わせ一覧よりご連絡ください。

本書のコピー、スキャン、デジタル化等の無断複製は著作権法上での例外を除き禁じられています。本書を代行業者等の第三者に依頼してスキャンやデジタル化することは、たとえ個人や家庭内での利用であっても著作権法上認められておりません。

© Mizuki Productions 2024 Printed in Japan
N.D.C.913 ／ 111P ／ 22cm ISBN 978-4-591-18275-8
P4184010